편입수학 가천대학교 5개년 기출

발 행 | 2024년 07월 05일
저 자 | 스킬편입수학 연구소
펴낸이 | 한건희
펴낸곳 | 주식회사 부크크
출판사등록 | 2014.07.15.(제2014-16호)
주 소 | 서울특별시 금천구 가산디지털1로 119 SK트윈타워 A동 305호
전 화 | 1670-8316
이메일 | info@bookk.co.kr

ISBN | 979-11-410-9342-6

www.bookk.co.kr

SKILL_MATH
스킬편입수학 연구소

편입수학
가천 대학교
5개년 기출

1. 함수 $f(x) = \sinh x$에 대하여
$f(a) = \dfrac{12}{5}$일 때, $f'(a)$의 값은?

① $\dfrac{-5}{12}$ ② $\dfrac{5}{12}$ ③ $\dfrac{-13}{5}$ ④ $\dfrac{13}{5}$

3. 곡선 $xy^2 + x^2y = 2$위의 점 중에서
접선의 기울기가 -1인 점이 (a, b)라 할 때,
ab의 값은?

① 0 ② 1 ③ 2 ④ 4

2. $\displaystyle\int_{-1}^{1} \sqrt{3 + 2x - x^2}\, dx$의 값은?

① 0 ② $\dfrac{\pi}{2}$ ③ π ④ 4π

4. 두 곡선 $y = \sin x$, $y = \arcsin x$와 두 직선
$x = \dfrac{\pi}{2}, y = \dfrac{\pi}{2}$로 둘러싸인 영역의 넓이는?

① $\dfrac{\pi}{4}$ ② $\dfrac{\pi}{2}$ ③ $\dfrac{\pi}{2} - 1$ ④ $\dfrac{\pi^2}{4} - 2$

5. 급수

$$1 - 2\ln 3 + \frac{(2\ln 3)^2}{2!} - \frac{(2\ln 3)^3}{3!} + \cdots \text{ 의 합은?}$$

① 9 ② 3 ③ $\frac{1}{3}$ ④ $\frac{1}{9}$

7. 극한 $\lim_{x \to 0}(e^x - x)^{\frac{2}{x^2}}$ 의 값은?

① 1 ② 2 ③ e ④ $\sqrt{e}$

6. $f(x) = |x| + 2019$ 이고 $g(x) = \dfrac{1}{1+xf(x)}$

일 때, 도함수 $g'(0)$의 값은?

① 0 ② 2019 ③ -2019
④ 도함수가 존재하지 않는다.

8. 극 곡선 $r = \sin\theta + \cos\theta$ 으로 둘러싸인 영역의 넓이는?

① $\dfrac{\pi}{2}$ ② π ③ $\dfrac{3\pi}{2}$ ④ 2π

9. $f(x) = \int_{-1}^{x} e^{t^2} dt$ 이고 곡선 $y = (x)$ 위의

점 P의 x좌표가 -1일 때, 점 P에서

곡선 $y = f(x)$에 접하는 접선의 y절편은?

① 1   ② e ③ $2e$ ④ $4e^2$

11. $\int_0^{\sqrt{3}} x\tan^{-1}x \, dx$의 값은?

① $\dfrac{\pi}{6}$ ② $\dfrac{\pi}{3}$

③ $\dfrac{\pi}{3} - \dfrac{1}{2}$ ④ $\dfrac{2\pi}{3} - \dfrac{\sqrt{3}}{2}$

10. 뉴턴 방법을 사용하여 $x^3 + x + a = 0$의 해를 구하려고 한다. 초기 근삿값 $x_1 = 1$이고

두번째 근삿값 $x_2 = \dfrac{3}{4}$일 때, a의 값은?

(단, a는 상수)

① -2 ② -1 ③ 0   ④ 1

12. 점 $(1,1,2)$에서 포물면 $z = x^2 + y^2$에 대한

법선이 포물면과 다시 만나는

점을 (a,b,c)라 할 때, $a+b+c$의 값은?

① $\dfrac{5}{8}$ ② $\dfrac{3}{4}$ ③ $\dfrac{7}{8}$ ④ 1

13. 멱급수 $\sum_{n=1}^{\infty} a_n x^n$은 $x=-2$일 때 수렴하고 $x=3$ 일 때 발산한다. 다음 보기의 급수 중 수렴하는 급수의 개수는?

ㄱ. $\sum_{n=1}^{\infty} a_n$ ㄴ. $\sum_{n=1}^{\infty} |a_n|$

ㄷ. $\sum_{n=1}^{\infty} (-4)^n a_n$ ㄹ. $\sum_{n=1}^{\infty} n a_n$

① 1 ② 2 ③ 3 ④ 4

15. 행렬 $A = \begin{pmatrix} 2019 & 1 \\ 2 & 2018 \end{pmatrix}$의 두 고윳값을 λ_1, λ_2라 할때, $|\lambda_1 - \lambda_2|$의 값은?

① 1 ② 2 ③ 3 ④ 4

14. 4차원 공간 R^4의 네 벡터 $(1,3,2,2)$, $(2,4,3,2)$, $(1,9,5,8)$, $(0,4,2,4)$에 의해 생성된 부분 공간을 W라 할 때, W의 차원은?

① 1   ② 2   ③ 3   ④ 4

16. $\lim_{x \to 0} \dfrac{ax^3 - bx + \sin x}{x^3} = 0$을 만족하는 상수 a와 b에 대해 $a+b$의 값은?

① $\dfrac{-5}{6}$ ② $\dfrac{-2}{3}$ ③ $\dfrac{5}{6}$ ④ $\dfrac{7}{6}$

17. 영역 $R = \{(x,y)|x \geq y^2, 2-x-|y| \geq 0\}$ 의 넓이는?

① $\dfrac{4}{3}$ ② $\dfrac{5}{3}$ ③ $\dfrac{7}{3}$ ④ $\dfrac{8}{3}$

19. 미분 가능한 함수 $f(x)$가 $f(0)=0$이고, $f'(x) = \displaystyle\int_x^1 \cos(t^2)dt$일 때, $f(1)$의 값은?

① $\dfrac{1}{2}$ ② 1 ③ $\sin 1$ ④ $\dfrac{\sin 1}{2}$

18. 타원 $x^2 + 4y^2 = 8$에서 함수 $f(x,y) = xy$ 의 최댓값을 a, 최솟값을 b라 할 때, ab의 값은?

① -1 ② -2 ③ -3 ④ -4

20. 두 직선 $x+2 = y-5 = \dfrac{z-1}{2}$와 $x-1 = y-1 = z$사이의 최단거리는?

① $\dfrac{3}{\sqrt{2}}$ ② $\dfrac{5}{\sqrt{2}}$ ③ $\dfrac{7}{\sqrt{2}}$ ④ $\dfrac{9}{\sqrt{2}}$

21. 두 행렬 $A = \begin{pmatrix} a_1 & a_2 & a_3 & a_4 \\ b_1 & b_2 & b_3 & b_4 \\ c_1 & c_2 & c_3 & c_4 \\ d_1 & d_2 & d_3 & d_4 \end{pmatrix}$ 와 $B = \begin{pmatrix} b_1 & b_2 & -b_3 & b_4 \\ a_1 & a_2 & -a_3 & a_4 \\ c_1 & c_2 & -c_3 & c_4 \\ d_1 & d_2 & -d_3 & d_4 \end{pmatrix}$

에 대하여 $\det(A) = 2$일 때, $\det[(AB^{-1})^T]$의 값은?

(단, A^T는 A의 전치행렬)

① $\dfrac{1}{2}$ ② 1 ③ 2 ④ 4

23. xy평면의 시계반대 방향으로 도는

원 C가 $x^2 + y^2 = 9$일 때,

$$\oint_C -2ydx + x^2dy$$의 값은?

① 4π ② 8π ③ 15π ④ 18π

22. $y = y(x)$가 미분방정식 $\dfrac{dx}{dy} = \dfrac{y}{x}, y(0) = -3$

일 때, $y(4)$의 값은?

① 1 ② -1 ③ 5 ④ -5

24. E가 두 곡면 $z = x^2 - 1$, $z = 1 - x^2$과

두 평면 $y = 0, y = 2$로 둘러싸인

입체 영역일 때, $\displaystyle\iiint_E (xy)dV$의 값은?

① 0 ② 3 ③ 6 ④ 12

25. 곡면 $S = \{(x,y,z) | z = x^2 + y^2, 0 \leq z \leq 1\}$에 대해

$$\iint_S z\, dS$$의 값은?

① $\dfrac{\pi}{6}(5\sqrt{5} - 1)$ 　　② $\dfrac{\pi}{6}(5\sqrt{5} + 1)$

③ $\dfrac{\pi}{60}(25\sqrt{5} - 1)$ 　　④ $\dfrac{\pi}{60}(25\sqrt{5} + 1)$

25. 곡면 $S = \{(x,y,z) | z = x^2 + y^2, 0 \leq z \leq 1\}$에 대해

1. $\lim\limits_{x\to\infty}(\sqrt{2x^2+2x+1}-\sqrt{2x^2-2x+1})$의 값은?

① 1 ② $\sqrt{2}$ ③ $2\sqrt{2}$ ④ 4

3. 다음 곡선의 길이는?

$x(t)=3+t^2,\; y(t)=\cosh(t^2)\;(0\le t\le 1)$

① 1 ② cosh1 ③ sinh1 ④ tanh1

2. 곡선 $y=x+\arctan y$ 위의 점 $(1-\dfrac{\pi}{4},1)$에서 접선의 기울기는?

① -2 ② -1 ③ 1 ④ 2

4. 점 $(1,4)$이 곡선 $y=x^3+ax^2+bx+1$의 변곡점 일때, b의 값은?(단, a,b는 상수)

① 1 ② 3 ③ 5 ④ 7

5. 행렬 $A = \begin{pmatrix} 3 & 0 & 0 \\ 4 & 2 & 0 \\ 5 & 6 & -1 \end{pmatrix}$ 에 대해

다음 <보기>에서 옳은 것의 개수는?

ㄱ. A의 고윳값은 A의 주대각선 상의
  성분과 일치한다.

ㄴ. A는 대각화 가능하다.

ㄷ. A는 직교 대각화 가능하다.

① 0 ② 1 ③ 2 ④ 3

7. 연속함수 $f(x)$가 다음 두 조건을
  만족시킬 때, 상수 a의 값은?

$$f(x) + f(-x) = ax^2 + 1, \quad \int_{-1}^{1} f(x)dx = 3$$

① 3 ② 4 ③ 5 ④ 6

6. 함수 $f(x) = \ln(\sec^2 x)$에 대하여 극한

$$\lim_{x \to 0} \frac{f(\frac{\pi}{4}+x) - 2f(\frac{\pi}{4}) + f(\frac{\pi}{4}-x)}{x^2}$$ 의 값은?

① 1 ② 2 ③ 3 ④ 4

8. 멱급수 $\displaystyle\sum_{n=2}^{\infty} \frac{(x+2)^n}{2^n \ln n}$ 의 수렴구간에 속하는

모든 정수의 개수는?

① 2 ② 3 ③ 4 ④ 5

9. 직선 $\dfrac{x-2}{2}=\dfrac{y+1}{2}=z$ 와

$\dfrac{x-1}{2}=\dfrac{y+2}{2}=z-1$

을 포함하는 평면의 방정식은?

① $x+y+z-3=0$ ② $x-y+z-3=0$

③ $x+y-3=0$ ④ $x-y-3=0$

11. 함수 $f(x)=e^{x^3}$ 에 대하여

$$\int_0^1 \left\{ (f''(x))^2 + f'(x)f'''(x) \right\}dx \text{의 값은?}$$

① e ② e^2 ③ $15e$ ④ $45e^2$

10. 원점 $(0,0,0)$ 부터 곡면 $y^2=9+xz$ 까지의 최단거리는?

① 1 ② 3 ③ 5 ④ 6

12. 좌표평면에서 곡선 $y=e^{-|x|}$ 과 x축 사이에 있고, 한 변이 x축에 평행한 직사각형의 최대넓이는?

① $\dfrac{1}{e}$ ② $\dfrac{2}{e}$ ③ $\dfrac{3}{e}$ ④ $\dfrac{4}{e}$

13. 다음 선형 연립방정식이 무수히 많은 해를

갖기 위한 실수 a의 값은?

$$\begin{cases} -3x - 3y + (a^2 - 5a)z = a - 5 \\ x + z = 2 \\ 2x + y + 3z = 3 \end{cases}$$

① 1 ② 2 ③ 3 ④ 4

15. $\displaystyle \int_0^2 \int_0^{\sqrt{3}\,y} xy\,dx\,dy$

$+ \displaystyle \int_2^4 \int_0^{\sqrt{16-y^2}} xy\,dx\,dy$의 값은?

① 16 ② 18 ③ 20 ④ 24

14. 이변수 함수 $f(x,y) = \dfrac{x^2}{2} + y^2$의

그래프위의 점 (a,b,c)에서의

접평면의 방정식이

$2x + 2y - z - 3 = 0$일 때, $a + b + c$의 값은?

(단, a, b, c는 상수)

① 5 ② 6 ③ 7 ④ 8

16. 함수 $f(x) = x^3 - 3x^2 + 3x$의 역함수를

$g(x)$라 할 때, 두 곡선 $y = f(x)$와 $y = g(x)$로

둘러싸인 영역의 넓이는?

① 1 ② $\dfrac{3}{2}$ ③ $\dfrac{5}{3}$ ④ $\dfrac{8}{3}$

17. $y = y(x)$가 미분방정식 $y' = xe^y, y(0) = 0$의 해 일 때, $y(1)$의 값은?

① 0 ② $\ln 2$ ③ e ④ $\ln 3$

19. $F(x,y,z) = (x+y^2, y+z^2, z+x^2)$이고 C는 세 점 $(1,0,0), (0,1,0), (0,0,1)$을 꼭짓점으로 하는 삼각형의 둘레일 때, $\int_C F \cdot dr$의 값은?

① -1 ② 0 ③ $\dfrac{\pi}{2}+1$ ④ $3e^2 - \dfrac{3}{4}$

18. 두 행렬 $A = \begin{pmatrix} a_{11} & a_{12} & a_{13} \\ a_{21} & a_{22} & a_{23} \\ a_{31} & a_{32} & a_{33} \end{pmatrix}, B = \begin{pmatrix} a_{11} & a_{12} & a_{13} \\ b_{21} & b_{22} & b_{23} \\ a_{31} & a_{32} & a_{33} \end{pmatrix}$

의 행렬식이 차례대로 α, β 일 때,

$C = \begin{pmatrix} 2a_{11} & 2a_{12} & -2a_{13} \\ 2a_{21}-b_{21} & 2a_{22}-b_{22} & -2a_{23}+b_{23} \\ -2a_{31} & -2a_{32} & 2a_{33} \end{pmatrix}$의

행렬식은? (단, α, β는 상수)

① $-8\alpha + 8\beta$ ② $-8\alpha + 4\beta$
③ $8\alpha - 4\beta$ ④ $8\alpha - 8\beta$

20. $L(x,y,z) = (2x-y, x+y+z)$로 정의된 선형변환 $L : R^3 \to R^2$에 대하여 벡터 $v = <1, a, b>$ 가 L의 핵공간 $\ker(L)$에 속한다. 벡터 $w = <1, -2, 1>$ 의 v로의 벡터사영이 $proj_w v = kw$일 때, k의 값은?

① -1 ② $\dfrac{-5}{9}$ ③ $\dfrac{7}{6}$ ④ $\dfrac{4}{3}$

21. C가 단위원 일 때, $\oint_C (x-y^3)dx + x^3 dy$ 의 값은?

① $\frac{\pi}{3}$ ② $\frac{2\pi}{3}$ ③ $\frac{3\pi}{2}$ ④ 2π

22. 실수 a,b에 대하여 행렬 $\begin{pmatrix} a & b & \frac{1}{2} \\ b & \frac{1}{2} & a \\ \frac{1}{2} & a & b \end{pmatrix}$ 가

직교행렬일 때, $a+b$의 값은?

(단, $a+b>0$)

① $\frac{1}{2}$ ② 1 ③ $\frac{3}{2}$ ④ 2

23. 적분 방정식 $y(t) + 4\int_0^t y(\tau)(t-\tau)d\tau = 4t$

의 해 $y=y(t)$에 대하여 $y(\frac{\pi}{4})$의 값은?

① 1 ② 2 ③ 3 ④ 4

24. E가 네 꼭짓점이 $(0,0,0)$, $(1,0,0)$,

$(0,2,0)$, $(0,0,2)$인 입체 사면체일 때,

$\iiint_E 6z\,dV$의 값은?

① 2 ② 4 ③ 6 ④ 8

25. 곡선 $x^2 + y^2 - 4x + 3 = 0$으로
둘러싸인 영역을 y축을 중심으로
회전하여 얻은 회전체의 부피는?

① π^2 ② $2\pi^2$ ③ $4\pi^2$ ④ $8\pi^2$

1. 극한 $\lim_{x \to 0}(\cosh x)^{\frac{1}{x}}$ 의 값은? [2.1점]

① 0   ② 1   ③ 2   ④ e

2. 함수 $f(x)=(\arctan x)^2$에 대하여 $f'(-\sqrt{3})$의 값은? [2.1점]

① $\dfrac{\pi}{6}$ ② $\dfrac{\pi}{12}$ ③ $-\dfrac{\pi}{6}$ ④ $-\dfrac{\pi}{12}$

3. $\displaystyle\int_1^2 \dfrac{\sqrt{x^2-1}}{x}dx$ 의 값은? [2.1점]

① $\sqrt{3}-\dfrac{\pi}{3}$ ② $\sqrt{3}-\dfrac{\pi}{6}$

③ $2\sqrt{3}-\dfrac{\pi}{3}$ ④ $2\sqrt{3}-\dfrac{\pi}{6}$

4. 점 $(1,2)$에서 곡선 $x^2+4xy+y^2=13$의 접선이 x축과 만나는 점의 좌표를 $(a,0)$이라 할 때, a의 값은? [4.1점]

① $\dfrac{13}{5}$ ② $\dfrac{11}{5}$ ③ $\dfrac{9}{5}$ ④ $\dfrac{7}{5}$

5. $\lim\limits_{n \to \infty} \dfrac{1 + 2\sqrt{2} + \cdots + n\sqrt{n}}{n^2\sqrt{n}}$ 의 값은? [2.1점]

① $\dfrac{1}{10}$ ② $\dfrac{1}{5}$ ③ $\dfrac{2}{5}$ ④ $\dfrac{2}{3}$

6. 점 $(2, 2, 1)$을 지나고 두 평면 $x + y - z = 2$와 $2x - y + 3z = -1$의 교선을 포함하는 평면의방정식이 $ax + by - 9z = 13$이다. $a + b$의 값은? [3.8점]

① 10 ② 11 ③ 21 ④ 22

7. 멱급수 $\sum\limits_{n=1}^{\infty} \left(1 + \dfrac{1}{n}\right)^{n^2} x^n$의 수렴반지름은? [3.8점]

① $\dfrac{1}{e}$ ② 1 ③ e ④ ∞

8. 선형변환 $T : R^2 \to R^2$가 $T(x, y) = (20x - 21y, 21y)$로 정의되었고, 행렬 A가 $Tv = Av$를 만족시킬 때, 행렬 A의 모든 고윳값의 합은?

① -1 ② 20 ③ -21 ④ 41

9. 구간 $[0, 2]$에서 함수 $f(x) = \dfrac{\ln(1+x)}{(1+x)^2}$의 최댓값은?

① $\dfrac{\ln 2}{4}$ ② $\dfrac{\ln 3}{9}$ ③ $\dfrac{1}{2e}$ ④ $\dfrac{1}{e}$

11. 곡선 $x = 5\cos^3 t$, $y = 5\sin^3 t \left(0 \le t \le \dfrac{\pi}{2}\right)$을 x축을 중심으로 회전해서 생기는 회전곡면의 넓이는?

① 15π ② 20π ③ 25π ④ 30π

10. 심장선 $r = 2 + 2\sin\theta$의 내부와 원 $r = 4\sin\theta$의 외부에 놓인 영역의 넓이는? [3.8점]

① π ② 2π ③ $\dfrac{2}{5}\pi$ ④ $\dfrac{7}{5}\pi$

12. 쌍곡선 $xy = 8$의 점 중에서 $(3, 0)$에 가장 가까운 점을 (a, b)라 할 때, $3a + b$의 값은?

① 14 ② 12 ③ 11 ④ 10

13. 다음 함수 f의 그래프이다.

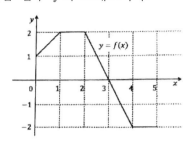

$F(x) = \displaystyle\int_0^{x^2} f(t)dt$ 라 할 때, $F''(\sqrt{3})$ 의 값은?

① -2 ② -12 ③ -24 ④ -72

14. 점 $(2,1)$에서 함수 $f(x,y)= x^2 y + \sqrt{y}$ 의 값이 가장 빨리 증가하는 방향의 단위벡터를 u 라 할 때, 방향도함수 $D_u f(2,1)$의 값은?

① $\dfrac{17}{2}$ ② 7 ③ $\dfrac{\sqrt{155}}{2}$ ④ $\dfrac{\sqrt{145}}{2}$

15. 행렬 $A = \begin{pmatrix} -2 & 2 & 4 & 6 \\ 3 & 3 & -6 & -9 \\ -4 & -4 & 4 & 4 \\ 1 & 1 & -2 & \alpha \end{pmatrix}$ 의 행렬 계수 (rank)가 2일 때, α의 값은? [4.3점]

① -4 ② -3 ③ -2 ④ -1

16.

$w = xy + yz + zx,\ x = r\cos\theta,\ y = r\sin\theta,\ z = r\theta$

일 때, $r = 2, \theta = \dfrac{\pi}{2}$ 에서 $\dfrac{\partial w}{\partial \theta}$ 의 값은?

① π ② $-\pi$ ③ 2π ④ -2π

17. 구면 $x^2 + y^2 + z^2 = 3$에서 정의된 함수 $f(x,y,z) = xyz$의 최댓값을 a, 최솟값을 b라 할 때, ab의 값은?

① -4 ② -1 ③ 0 ④ 1

19. S가 단위구면 $x^2 + y^2 + z^2 = 1$이고, $F(x,y,z) = (x^2 \sin y, x \cos y, -xz \sin y)$ 일 때, $\displaystyle\iint_S F \cdot dS$ 의 값은? [4.3점]

① $-\dfrac{3}{2}\pi$ ② $-\pi$ ③ $-\dfrac{3}{4}\pi$ ④ 0

18. u, v, w가 3차원 공간 R^3의 벡터이고, u가 단위벡터일 때, 다음 <보기>에서 옳은 것의 개수는? [4.1점]

㈎ $u \cdot v = u \cdot w$이고, v, w가 모두 단위벡터이면 $v = w$이다.

㈏ $u \times v = u \times w$이고, v, w가 모두 영벡터가 아니면 $v = w$이다.

㈐ $u \cdot v = u \cdot w$이고 $u \times v = u \times w$이면 $v = w$이다.

① 0 ② 1 ③ 2 ④ 3

20. 3×3행렬 (3차 정사각행렬) A의 행렬식이 2일 때, 다음 중 행렬식이 가장 큰 행렬은? (단, A^{-1}은 A의 역행렬, A^T은 A의 전치행렬, $adjA$는 A의 딸림(수반)행렬이다.) [4.3점]

① $2A^{-1}$ ② $(2A)^{-1}$ ③ $2A^T$ ④ $2(adjA)$

21. C가 단위원일 때, $\displaystyle\oint_C -2y\,dx + x^2\,dy$의 값은? [4.1점]

① 0 　　② π 　　③ 2π 　　④ 4π

23. 함수 $f(t)$의 라플라스 변환이 $\mathcal{L}(f) = \dfrac{e^{-\pi s}}{s^2+4}$일 때, $f\left(\dfrac{5\pi}{4}\right)$의 값은?

① $\dfrac{1}{2}$ 　　② $\dfrac{\sqrt{3}}{2}$ 　　③ 1 　　④ 2

22. 타원면 $4x^2 + 4y^2 + z^2 = 16$ 안쪽과 기둥 $x^2 + y^2 = 1$ 바깥에 놓인 입체의 부피는? [4.1점]

① $\sqrt{3}\,\pi$ 　② $2\sqrt{3}\,\pi$ 　③ $4\sqrt{3}\,\pi$ 　④ $8\sqrt{3}\,\pi$

24. $y = y(x)$가 미분방정식 $(1+e^{-y})\sin x\,dx - (1+\cos x)\,dy = 0$, $y(0) = 0$의 해일 때, $y\left(\dfrac{\pi}{2}\right)$의 값은?

① $\ln 3$ 　　② $\ln 2$ 　　③ 0 　　④ $-\ln 2$

25. $\displaystyle\int_0^1 \int_{\sqrt{x}}^1 \frac{2xe^{y^2}}{y^3}\,dy\,dx$ 의 값은?

① e ② $\dfrac{1}{2}e$ ③ $\dfrac{1}{2}(e-1)$ ④ $\dfrac{1}{4}(e-1)$

25. $\displaystyle\int_0^1 \int_{\sqrt{x}}^1 \frac{2xe^{y^2}}{y^3}\,dy\,dx$ 의 값은?

01. 극방정식 $r = 2\sin 3\theta$에 대하여 $\theta = \dfrac{\pi}{6}$에서의 접선의 기울기는? [2.1]

① $-\sqrt{3}$ ② $-\dfrac{\sqrt{3}}{2}$ ③ $\dfrac{\sqrt{3}}{2}$ ④ $\sqrt{3}$

03. 함수 $f(x) = \ln(x^2 + x + 1)$의 구간 $[-1, 1]$에서 최댓값을 a, 최솟값을 b라 할 때, $a - b$의 값은? [2.1]

① $\ln 2$ ② $\ln 3$ ③ $2\ln 2$ ④ $2\ln 3$

02. 행렬 $A = \begin{pmatrix} 1 & -1 & 1 \\ 0 & 3 & 0 \\ 1 & 0 & 2 \end{pmatrix}$의 역행렬 A^{-1}의 $(1, 2)$성분은? [2.1]

① 0 ② $\dfrac{1}{3}$ ③ $\dfrac{2}{3}$ ④ 1

04. $\displaystyle\int_0^2 \int_0^{\sqrt{2y-y^2}} \dfrac{x+y}{x^2+y^2}\,dx\,dy$ 의 값은? [4.1]

① $\dfrac{1}{2} + \dfrac{\pi}{2}$ ② $1 + \dfrac{\pi}{2}$

③ $1 + \pi$ ④ $\dfrac{1}{2} + \pi$

05. 포물선 $y = x^2 - a^2$와 $y = a^2 - x^2$으로 둘러싸인 영역의 넓이가 576일 때, a의 값은? (단, a는 양수) [2.1]

① 6   ② 8   ③ 10   ④ 12

07. 멱급수 $\displaystyle\sum_{n=1}^{\infty} \frac{\cos n\pi}{\sqrt{n}} \frac{(4x-3)^n}{3^n}$의 수렴구간은? [3.8]

① $\left(0, \dfrac{3}{2}\right)$ ② $\left[0, \dfrac{3}{2}\right)$

③ $\left(0, \dfrac{3}{2}\right]$ ④ $\left[0, \dfrac{3}{2}\right]$

06. 함수 $f(x, y) = x^2y - kx^2 + 2y$가 점 $P(1, 1)$에서 벡터 $v = \langle -4, 6 \rangle$의 방향으로 가장 빨리 증가한다. 상수 k의 값은? [3.8]

① -2 ② -1 ③ 1   ④ 2

08. $\displaystyle\lim_{x \to 0} \frac{\displaystyle\int_0^x \sin(\sin(4t))\,dt}{\displaystyle\int_0^x \ln(1+2t)\,dt}$의 값은? [4.1]

① $\dfrac{1}{2}$ ② 1   ③ 2   ④ 4

09. 곡선 $y = \dfrac{1}{2}x^2 + \dfrac{1}{2}$ 을 $0 \le x \le 1$ 에서 y축을 중심으로 돌려서 만든 회전곡면의 넓이는? [4.1]

① $\dfrac{\pi}{3}(\sqrt{2} - 1)$　　② $\dfrac{\pi}{3}(2\sqrt{2} - 1)$

③ $\dfrac{2}{3}\pi(\sqrt{2} - 1)$　　④ $\dfrac{2}{3}\pi(2\sqrt{2} - 1)$

11. 벡터 $v = 2i + 3j + 6k$ 가 x축, y축, z축의 양의 방향과 이루는 각의 크기를 각각 α, β, γ 라 할 때, $\dfrac{\cos\alpha\cos\beta}{\cos^2\alpha + \cos^2\beta + \cos^2\gamma}$ 의 값은? [5.6]

① $\dfrac{1}{49}$　　② $\dfrac{6}{49}$　　③ $\dfrac{12}{49}$　　④ $\dfrac{18}{48}$

10. $\displaystyle\int_0^1 4\sinh^2\dfrac{x}{2}\,dx$ 의 값은? [3.8]

① $2\sinh 1 - 2$　　② $2\sinh\dfrac{1}{2} - 2$

③ $2\cosh 1 - 2$　　④ $2\cosh\dfrac{1}{2} - 2$

12. 직선 $l_1 : x = 1 + t, y = 1 + 6t, z = 2t$ 와 직선 $l_2 : \dfrac{x-1}{2} = \dfrac{y-5}{15} = \dfrac{z+2}{6}$ 사이의 거리는?

① 1　　② 2　　③ 4　　④ 5

13. $L : R^3 \to R^3$이 선형변환이고, 세 벡터
$u = \begin{bmatrix} 1 \\ 0 \\ 0 \end{bmatrix}$, $v = \begin{bmatrix} 1 \\ 1 \\ 0 \end{bmatrix}$, $w = \begin{bmatrix} 1 \\ 1 \\ 1 \end{bmatrix}$에 대해

$L(u) = -u$, $L(v) = 2v$, $L(w) = w$가 성립한다.

벡터 $x = \begin{bmatrix} 5 \\ 3 \\ 1 \end{bmatrix}$에 대해 $L(x) = \begin{bmatrix} a \\ b \\ c \end{bmatrix}$일 때,

$a+b+c$의 값은? [4.1]

① 7   ② 9   ③ 11   ④ 13

14. $x+4y-2z=25$일 때, $2x^2+2y^2+z^2$의 최솟값은?

① 42   ② 48   ③ 50   ④ 54

15. 함수 $f(x,y) = x^2 - xy + y$의 점 $P(1,1)$에서 방향도함수의 값이 $\dfrac{1}{\sqrt{2}}$인 방향의 단위벡터는 $\langle a,b \rangle$이다. 상수 $a+b$의 값은? (단, $b>0$) [4.3]

① $\dfrac{1}{\sqrt{2}}$ ② 1   ③ $\sqrt{2}$ ④ 2

16. 평면 $x-3y+2z=-1$에 수직이고 두 점 $P(1,-1,2)$, $Q(2,1,1)$를 포함하는 평면의 방정식이 $x+ay+bz+c=0$이다. 상수 $a+b+c$의 값은? [4.3]

① -2 ② -1 ③ 1   ④ 2

17. 원판 $u^2 + v^2 \leq 1$에서
$r(u,v) = \langle 2uv, u^2 - v^2, u^2 + v^2 \rangle$로 매개화된
곡면 S에 대해 면적분, $\displaystyle\int_S x^2 + y^2 dS$의 값은?
[5.6]

① π ② $\sqrt{2}\pi$ ③ 2π ④ $2\sqrt{2}\pi$

19. $\displaystyle\lim_{x \to \infty} \left\{ x^2 - x^2 \sin\left(\frac{\pi(1+x)}{2x} \right) \right\}$의 값은? [4.3]

① 0 ② $\dfrac{\pi^2}{8}$ ③ $\dfrac{\pi^2}{4}$ ④ $\dfrac{\pi^2}{2}$

18. 행렬 $A = \begin{pmatrix} a_1 & a_2 & a_3 \\ -2 & 1 & 4 \\ 3 & 5 & 7 \end{pmatrix}$, $B = \begin{pmatrix} b_1 & b_2 & b_3 \\ -2 & 1 & 4 \\ 3 & 5 & 7 \end{pmatrix}$에
대해 $\det(A) = 13$, $\det(B) = -26$일 때, 행렬
$C = \begin{pmatrix} 2a_1 - b_1 & 2a_2 - b_2 & 2a_3 - b_3 \\ 2 & -1 & -4 \\ 6 & 10 & 14 \end{pmatrix}$의 행렬식
$\det(C)$의 값은? [4.1]

① -104 ② -52 ③ 0 ④ 52

20. 한 남자가 P지점에서 $1.5m/\sec$로 북쪽을
향하여 걷기 시작한다. 5초 후 한 여자가 P의
동쪽으로 $80m$ 떨어진 지점에서 $2m/\sec$로
남쪽을 향하여 걷기 시작한다. 이 여자가 걷기
시작한지 15초 후, 두 사람은 얼마의 속도로
멀어지는가? [4.3]

① $1.9m/\sec$ ② $2.1m/\sec$
③ $2.3m/\sec$ ④ $2.5m/\sec$

21. 영역 $D = \{(x,y) \mid x^2 + y^2 \le 4, y \ge 0\}$의 경계선을 닫힌곡선 C 라 할 때, $\oint_C y^2 dx + 3xy dy$ 의 값은? [4.1]

① $\dfrac{4}{3}$ ② $\dfrac{8}{3}$ ③ $\dfrac{16}{3}$ ④ $\dfrac{32}{3}$

23. $y = y(x)$가 미분방정식 $y'' + 6y' + (\pi^2 + 9)y = 0$, $y(0) = 0$, $y'(0) = e\pi$의 해일 때, $y\left(\dfrac{1}{3}\right)$의 값은? [5.6]

① $\dfrac{1}{2}$ ② $\dfrac{\sqrt{2}}{2}$ ③ $\dfrac{\sqrt{3}}{2}$ ④ 1

22. 함수 $F(s) = \ln\left(\dfrac{s^2 + 4}{s^2}\right)$의 라플라스 역변환 $\mathcal{L}^{-1}\{F(s)\}$를 $f(t)$라 할 때, $f\left(\dfrac{\pi}{4}\right)$의 값은? [4.1]

① $\dfrac{1}{\pi}$ ② $\dfrac{2}{\pi}$ ③ $\dfrac{4}{\pi}$ ④ $\dfrac{8}{\pi}$

24. 타원 $\dfrac{x^2}{4} + \dfrac{y^2}{16} = 1$위에 있는 제 1사분면의 점 (a, b)에서의 접선과 좌표축으로 둘러싸인 삼각형의 넓이의 최솟값은? [5.6]

① 4   ② 8   ③ 16   ④ 32

25. $\lim\limits_{n \to \infty} \sum\limits_{k=1}^{n} \dfrac{1-2a}{n} \left\{ 2a + \dfrac{(1-2a)k}{n} \right\}^2$ 의 값은?

(단, $\left(0 < a < \dfrac{1}{2}\right)$) [3.8]

① $\dfrac{1}{3}(1-a^3)$ ② $\dfrac{1}{3}(1-8a^3)$

③ $\dfrac{8}{3}(1-a^3)$ ④ $\dfrac{1}{3}(8-a^3)$

25. $\lim\limits_{n \to \infty} \sum\limits_{k=1}^{n} \dfrac{1-2a}{n} \left\{ 2a + \dfrac{(1-2a)k}{n} \right\}^2$ 의 값은?

(단, $\left(0 < a < \dfrac{1}{2}\right)$)

01. 함수 $f(x) = x^3 + 4\sin x + 3\cos x$의 역함수를 $g(x)$라 할 때, $g'(3)$의 값은? [2.1]

① 1 ② $\dfrac{1}{2}$ ③ $\dfrac{1}{3}$ ④ $\dfrac{1}{4}$

03. 다음 중 행렬 $A = \begin{bmatrix} -2 & 0 & 0 \\ 0 & -1 & 0 \\ 0 & 0 & 2 \end{bmatrix}$의 고유벡터가 아닌 것은? [2.1]

① $\begin{bmatrix} 2 \\ 1 \\ -2 \end{bmatrix}$ ② $\begin{bmatrix} 2 \\ 0 \\ 0 \end{bmatrix}$ ③ $\begin{bmatrix} 0 \\ -1 \\ 0 \end{bmatrix}$ ④ $\begin{bmatrix} 0 \\ 0 \\ -2 \end{bmatrix}$

02. 곡선 $\cos x + \sin y = 1$위의 점 $\left(\dfrac{\pi}{3}, \dfrac{\pi}{6} \right)$에서의 접선의 기울기는? [2.1]

① -1 ② 0 ③ $\dfrac{\sqrt{3}}{2}$ ④ 1

04. $\displaystyle \int_0^1 \ln(1 + x^2)dx$의 값은? [4.1]

① $\ln 2 - 2 + \dfrac{\pi}{2}$ ② $\ln 2 - 2 + \pi$

③ $\ln 2 + 2 - \pi$ ④ $\ln 2 + 2 - \dfrac{\pi}{2}$

05.

$$\lim_{n \to \infty}\left(\frac{1}{n} + \frac{1}{\sqrt{n^2 + 1^2}} + \frac{1}{\sqrt{n^2 + 2^2}} + \cdots + \frac{1}{\sqrt{n^2 + (n-1)^2}}\right)$$

의 값은? [2.1]

① $\ln\left(2\sqrt{2} + 1\right)$ ② $\ln\left(\sqrt{2} + 1\right)$

③ $\ln\left(\sqrt{2} - 1\right)$ ④ $\ln\left(2\sqrt{2} - 1\right)$

07. 곡선 $y = -x^2 + 3x - 2$와 직선 $y = 0$으로 둘러싸인 평면 영역을 y축을 중심으로 돌려서 만든 회전 입체의 부피는? [3.8]

① $\dfrac{\pi}{4}$ ② $\dfrac{\pi}{2}$ ③ $\dfrac{3}{4}\pi$ ④ $\dfrac{5}{4}\pi$

06. 매개 곡선 $x = 1 + \cos t,\ y = \tan t + \sin t$에 대하여 $t = \dfrac{\pi}{3}$에서의 곡률은? [3.8]

① $\dfrac{1}{7\sqrt{21}}$ ② $\dfrac{3}{7\sqrt{21}}$

③ $\dfrac{5}{7\sqrt{21}}$ ④ $\dfrac{1}{\sqrt{21}}$

08. 매개 곡선 $x = 2t - t^2,\ y = \sqrt{t}\,(t \geq 0)$과 y축으로 둘러싸인 영역의 넓이는?

① $\dfrac{8\sqrt{2}}{15}$ ② $\dfrac{\sqrt{2}}{3}$ ③ $\dfrac{2\sqrt{2}}{15}$ ④ $\dfrac{\sqrt{2}}{15}$

09. 3차원 벡터 공간 R^3의 두 단위 벡터 v와 w의 벡터곱 $v \times w$가 영벡터가 아닐 때, 다음 <보기>에서 옳은 것을 있는 대로 고르면? [4.1]

<보기>

ㄱ. 두 벡터 v와 w는 일차독립이다.

ㄴ. 세 벡터 $v, w, v \times w$는 일차독립이다.

ㄷ. 세 벡터 $v, w, v \times w$에 의해 만들어지는 평행육면체의 부피는 1보다 작거나 같다.

① ㄱ   ② ㄴ   ③ ㄱ, ㄴ   ④ ㄱ, ㄴ, ㄷ

11. 곡선 $y = \ln x$위의 점 A에서의 접선 l이 원점 O를 지난다. 점 A에서 l에 수직인 직선이 y축과 만나는 점을 B라 할 때, 삼각형 AOB의 넓이는? [5.6]

① e ② $\dfrac{e}{2}$ ③ $\dfrac{e + e^3}{2}$ ④ $e + e^3$

10. $\displaystyle\lim_{x \to \infty} (\pi^x + e^x)^{\frac{2}{x}}$의 값은? [3.8]

① e^π ② e^2 ③ π^2 ④ π^e

12. xy평면에서 시계반대 방향으로 도는 원 C가 $x^2 + y^2 = 4$일 때,

$$\oint_C (3y + e^{-2x})dx + (5x - \tan^{-1}y)dy$$의 값은?

[3.8]

① 4π ② 6π ③ 8π ④ 10π

13. 곡선 $y = 2\cosh\dfrac{x}{2}(-1 \leq x \leq 1)$을 x축에 대해 회전시켜 얻은 곡면의 넓이를 a라 하고, 이 곡선과 $y=0, x=-1, x=1$로 둘러싸인 영역을 x축으로 회전시켜 만든 입체의 부피를 b라 하자. $\dfrac{a}{b}$의 값은? [4.1]

① 1   ② $\sinh 1$ ③ $\cosh 1$ ④ $\tanh 1$

14. 곡면 $2x+y = e^{xyz}$위의 점 $P(0,1,1)$에서의 법선의 대칭 방정식은? [4.3]

① $x=0, y=z$ ② $\dfrac{x}{2} = y-1 = \dfrac{z-1}{2}$

③ $x = y-1 = z-1$ ④ $x = y-1, z = 1$

15. $\displaystyle\int_1^2 \int_0^x \dfrac{1}{x^2+y^2} dy dx$의 값은? [4.3]

① $\dfrac{\pi}{4}\ln 2$ ② $\dfrac{\pi}{2}\ln 2 + 1$

③ $\pi\ln 2 + 1$ ④ $2\pi\ln 2 - 1$

16. 두 평면 $x+y+z = 1$, $x+2y+2z = 1$의 교선이 l일 때, 다음 중 점 $P(2,1,3)$와 직선 l을 포함하는 평면에 수직인 벡터는? [4.3]

① $\langle 2, 3, -1\rangle$ ② $\langle 2, -1, 0\rangle$
③ $\langle 4, -1, -1\rangle$ ④ $\langle 4, 3, 0\rangle$

17. $f(x,y)=4x^3+2x^2y+y^2+4y$의 안장점을 모두 구하면? [5.6]

① $(0,-2)$
② $(1,-3),(2,-6)$
③ $(0,-2),(2,-6)$
④ $(0,-2),(1,-3),(2,-6)$

19. 곡선 $4x^2+y^2=16$에서 $f(x,y)=xy$의 최댓값은? [4.3]

① 1　　② 2　　③ 4　　④ 8

18. 곡면 S는 평면 $z=1$의 아래에 있는 원뿔면 $z=\sqrt{x^2+y^2}$의 부분이고 아래쪽을 향한다. 벡터장 $F(x,y,z)=\langle -x,-y,z^3\rangle$에 대해 $\iint_S F\cdot dS$ 의 값은? [4.1]

① $-\dfrac{2}{15}\pi$　　② $-\dfrac{4}{15}\pi$

③ $-\dfrac{8}{15}\pi$　　④ $-\dfrac{16}{15}\pi$

20. $y=y(x)$가 미분방정식 $y'+\dfrac{2}{x+1}y=3, y(0)=5$의 해 일 때, $y(1)$의 값은? [4.3]

① 1　　② 2　　③ 3　　④ 4

21. 평면 $x+y+z=5$ 위의 네 점 $A(2,2,1)$, $B(1,-1,5)$, $C(-3,-3,11)$, $D(-2,3,4)$가 꼭짓점인 사각형의 넓이는? [4.1]

① $16\sqrt{3}$ ② $\dfrac{35\sqrt{3}}{2}$

③ $18\sqrt{3}$ ④ $\dfrac{39\sqrt{3}}{2}$

23. 라플라스 변환을 이용하여 구한 적분 방정식 $y(t)-\displaystyle\int_0^t y(\tau)\sin(t-\tau)d\tau=t$ 의 해는? [5.6]

① $y(t)=t+t^3$ ② $y(t)=t+\dfrac{t^3}{6}$

③ $y(t)=t+\sin t$ ④ $y(t)=t+\cos t$

22. 5×5 행렬 A에 대하여 $\det(A)=-2$일 때, 행렬 $B=\dfrac{1}{2}A^{T}adjA$의 행렬식은?

(단, A^{T}은 A의 전치행렬이고 $adjA$는 A의 딸림(수반)행렬이다.) [4.1]

① -32 ② -1 ③ 2 ④ 16

24. 두 직선 l_1, l_2의 대칭 방정식이 각각 $l_1:\dfrac{x+1}{2}=y=-z+2$,

$l_2:x-4=\dfrac{y-3}{-2}=z-2$ 이다. 직선 l이 직선 l_1과 l_2를 수직으로 지날 때, 직선 l과 직선 l_2의 교점의 좌표는 (a,b,c)이다. $a+b+c$의 값은? [5.6]

① 7 ② 9 ③ 11 ④ 13

25. 멱급수 $\displaystyle\sum_{n=1}^{\infty} \frac{(-1)^n}{n^2}\frac{(2x-1)^n}{5^n}$ 이 수렴하는

모든 정수 x의 개수는?

① 3　　　② 4　　　③ 5　　　④ 6

01. $\lim\limits_{x \to 0^{+}} \left(\dfrac{1}{x} - \dfrac{1}{e^{2x}-1} \right)$의 값은? [2.1]

① 1 　② 2 　③ e 　④ ∞

03. 극좌표계에서 곡선 $r = 2 + 2\cos\theta$로 둘러싸인 영역의 넓이는? [2.1]

① 2π 　② 4π 　③ 6π 　④ 8π

02. 벡터 $<a, -6, 2\sqrt{7}>$가 곡면 $x^2 - y^2 + z^2 + 1 = 0$ 위의 점 $(1, 3, \sqrt{7})$에서 이 곡면의 접평면에 수직이다. 상수 a의 값은? [2.1]

① 1 　② 2 　③ 3 　④ 4

04. $\dfrac{3}{2}\pi \leq \theta \leq 2\pi$ 일 때, 극곡선 $r = 1 + \sin\theta$의 길이는? [4.1]

① 2 　② $4 - 2\sqrt{2}$ 　③ 8 　④ $8 - 2\sqrt{2}$

05. 열린구간 $(-\pi, \pi)$에서 $f(x) - \llbracket \cos x \rrbracket$의 불연속인 점의 개수는? (단, 기호 $\llbracket \ \rrbracket$는 최대정수함수) [2.1]

① 1　　② 2　　③ 3　　④ 4

07. 평면 위의 곡선 C가 두 개의 원 $x^2 + y^2 = 4$와 $x^2 + y^2 = 9$ 사이의 영역 D의 경계일 때, $\int_C (x^2 - y^3)dx + (x^3 + y^2)dy$의 값은? [3.8]

① $\dfrac{287}{6}\pi$　　　② $\dfrac{231}{4}\pi$

③ $\dfrac{203}{3}\pi$　　　④ $\dfrac{195}{2}\pi$

06. $\displaystyle\int_0^{\pi/4} \dfrac{1 - 4\tan x}{4 + \tan x}dx$의 값은? [3.8]

① $\ln\left(\dfrac{5}{8}\sqrt{2}\right)$　　② $\ln\left(\dfrac{3}{8}\sqrt{2}\right)$

③ $\ln\left(\dfrac{5}{3}\sqrt{2}\right)$　　④ $\ln\left(\dfrac{2}{3}\sqrt{2}\right)$

08. $R = \left\{(x, y) \,\middle|\, 4x^2 + y^2 \leq 8, x \geq 0, y \geq 0\right\}$일 때, $\displaystyle\iint_R x^2 y \, dx \, dy$의 값은? [4.1]

① $\dfrac{4\sqrt{2}}{15}$　　② $\dfrac{8\sqrt{2}}{15}$

③ $\dfrac{4\sqrt{2}}{5}$　　④ $\dfrac{16\sqrt{2}}{15}$

09. 다음 <보기>의 급수 중 수렴하는 급수의 개수는? [4.1]

<보기>

(ㄱ) $\displaystyle\sum_{n=1}^{\infty} \frac{1}{n(n+2)}$　　(ㄴ) $\displaystyle\sum_{n=1}^{\infty} \frac{n+1}{n(n+2)}$

(ㄷ) $\displaystyle\sum_{n=1}^{\infty} \frac{n^2}{5n^2+4}$　　(ㄹ) $\displaystyle\sum_{n=1}^{\infty} (-1)^{n+1}\frac{n}{1+n^2}$

① 1　　② 2　　③ 3　　④ 4

11. $\displaystyle\lim_{n\to\infty} \frac{\sqrt[n]{(n+1)(n+2)\cdots(2n-1)(2n)}}{n}$ 의 값은? [5.6]

① $\dfrac{4}{e}$　　② $\dfrac{e}{2}$　　③ $\dfrac{e}{4}$　　④ $\dfrac{2}{e}$

10. 중심이 원점이고 반지름이 2인 구면을 S라 할 때, $F(x,y,z)=\,<x^3+y^3,\,y^3+z^3,\,z^3+x^3>$에 대해 $\displaystyle\iint_S F\cdot dS$의 값은? [3.8]

① $\dfrac{287}{5}\pi$　　② $\dfrac{384}{5}\pi$

③ $\dfrac{203}{3}\pi$　　④ $\dfrac{215}{3}\pi$

12. 공간 곡선 $x=\ln t,\ y=2t,\ z=t^2$위의 점 $(0,2,1)$에서의 법평면과 점 $(22,12,27)$사이의 거리는? [3.8]

① $\dfrac{94}{3}$　　② $\dfrac{85}{3}$　　③ $\dfrac{70}{3}$　　④ $\dfrac{67}{3}$

13. $P=\sqrt{u^2+v^2+w^2}$, $u=xe^y$, $v=ye^x$, $w=e^{xy}$일 때, $x=1$, $y=0$에서 편미분계수 $\dfrac{\partial P}{\partial x}$의 값은? [4.1]

① $\dfrac{1}{2}$ ② $\dfrac{1}{\sqrt{2}}$ ③ $\sqrt{2}$ ④ 2

15. 미분 방정식 $y''-2y'+y=-3-x+x^2$의 해가 $y(0)=-2$, $y'(0)=1$을 만족할 때, $y(2)$의 값은?

① $2e^2$ ② e^2 ③ $5-e^2$ ④ $11-e^2$

14. 다음 <보기>의 극한 중 존재하는 극한의 개수는? [4.3]

<보기>

(ㄱ) $\displaystyle\lim_{(x,y)\to(0,0)}\dfrac{xy^4}{x^4+y^4}$

(ㄴ) $\displaystyle\lim_{(x,y)\to(0,0)}\dfrac{|x^2-y^2|}{x^2+y^2}$

(ㄷ) $\displaystyle\lim_{(x,y)\to(0,0)}\dfrac{\sin(x+y)^2}{x^2+y^2}$

(ㄹ) $\displaystyle\lim_{(x,y)\to(0,0)}\dfrac{xy(x^2-y^2)}{x^4+y^4}$

① 1 ② 2 ③ 3 ④ 4

16. $y(x)$가 초깃값 문제 $(2x-1)(y-1)dx+(x+2)(x-3)dy=0$, $y(1)=-1$의 해일 때, $y(4)$의 값은? [4.3]

① 1 ② 2 ③ 3 ④ 4

17. 행렬 $A = \begin{pmatrix} 1 & 1 & 0 \\ 1 & 0 & -1 \\ 0 & 1 & 1 \\ -1 & 1 & -1 \end{pmatrix}$ 의 열공간(column space)을 W라 하자. 벡터 $b = <2, 5, 6, 6>$의 W위로의 정사영을 $proj_W b = <a, b, c, d>$라 할 때, $a + b + c + d$의 값은? [5.6]

① 12   ② 16   ③ 20   ④ 24

$x = \cos\theta$, $y - 2\sin\theta$, $0 \le \theta \le 2\pi$로 표현되는 곡선 위 점 중에서 $(1, 0)$과 가장 멀리 떨어져 있는 점의 x좌표는? [4.3]

① $-\dfrac{1}{8}$ ② $-\dfrac{1}{6}$ ③ $-\dfrac{1}{3}$ ④ $-\dfrac{1}{2}$

18. 곡선 $y^2 = x^2 - x^4$으로 둘러싸인 평면 영역을 x축을 중심으로 돌려서 만든 회전입체의 부피는? [4.1]

① $\dfrac{4}{15}\pi$ ② $\dfrac{7}{15}\pi$ ③ $\dfrac{8}{15}\pi$ ④ $\dfrac{11}{15}\pi$

20. 두 직선 도로가 교차로에서 $\dfrac{\pi}{3}$의 각도로 갈라진다. 자동차 두 대가 교차로에서 동시에 출발하는데, 첫 번째 자동차는 $60km/h$의 속도로 달리고 두 번째 자동차는 다른 도로를 $100km/h$의 속도로 달린다. 30분 뒤에 두 자동차 사이의 거리의 변화율은? [4.3]

① $10\sqrt{17}\,km/h$ ② $10\sqrt{19}\,km/h$

③ $20\sqrt{17}\,km/h$ ④ $20\sqrt{19}\,km/h$

19. 매개변수 방정식

21. 매개변수 방정식 $x = e^t$, $y = t^2 e^{-t}$의 그래프가 아래로 오목(위로 볼록)한 구간에 속하는 정수 t의 개수는? [4.1]

① 1 ② 2 ③ 3 ④ 4

23. 두 직선 ℓ_1, ℓ_2의 대칭 방정식이 각각

$\ell_1 : \dfrac{x+1}{2} = -y+2 = \dfrac{z-1}{3}$, $\ell_2 : x-3 = \dfrac{y+1}{2} = -z+2$

이다. 직선 ℓ이 직선 ℓ_1과 ℓ_2를 수직으로 지날 때, 직선 ℓ과 ℓ_2의 교점의 좌표는 (a, b, c)이다. 상수 $a+b+c$의 값은? [5.6]

① 7 ② 6 ③ 5 ④ 4

22. 행렬 $A = \begin{pmatrix} 1 & 0 & 1 \\ -1 & 1 & 0 \end{pmatrix}$에 대해, 다음 중 $A^T A$의 고윳값(eigenvalue)이 아닌 것은? (단, A^T은 A의 전치행렬) [4.1]

① 0 ② 1 ③ 2 ④ 3

24. 유클리드 공간 R^3에서 다음 <보기> 중 일차독립인 벡터의 집합의 개수는? [5.6]

(ㄱ) $\{(1,3,2), (2,1,3), (3,2,1)\}$
(ㄴ) $\{(1,-3,2), (2,1,-3), (-3,2,1)\}$
(ㄷ) $\{(4,0,6), (-1,1,-1), (2,-4,2)\}$
(ㄹ) $\{(-1,1,0), (-1,-1,2), (1,1,1)\}$

① 1 ② 2 ③ 3 ④ 4

25. 행렬 $A = \begin{pmatrix} 1 & 2 & 1 & 0 \\ 0 & 3 & 1 & 1 \\ -1 & 0 & 3 & 1 \\ 3 & 1 & 2 & 0 \end{pmatrix}$ 의 행렬식 $\det(A)$의

값은? [3.8]

① 2　　② 4　　③ 8　　④ 16

01. $\lim_{x \to 0^+} f(x) = 3$, $\lim_{x \to 0^-} f(x) = 1$일 때,

$\lim_{x \to 0^-} \{ f(x^3 + x^2) - f(-x^3) \}$의 값은? [2.1]

① -2 ② 0   ③ 2   ④ 6

02. 행렬 $A = \begin{pmatrix} 1 & 2 & 3 \\ 2 & 5 & 3 \\ 1 & 0 & 8 \end{pmatrix}$의 역행렬 A^{-1}의 모든

주대각성분의 합은? [2.1]

① 23   ② 46   ③ -46 ④ -23

03. $\displaystyle\int_1^3 \frac{1}{x\sqrt{8x+1}}dx$ 의 값은? [2.1]

① $\ln\dfrac{2}{3}$ ② $\ln\dfrac{4}{3}$ ③ $\ln\dfrac{3}{4}$ ④ $\ln\dfrac{3}{2}$

04. $\displaystyle\int_0^{\sqrt{3}} \sin(\tan^{-1}x)dx$의 값은? [4.1]

① $\dfrac{1}{2}$ ② $\dfrac{3}{4}$ ③ 1   ④ $\dfrac{3}{2}$

05. 평면 위의 곡선 C가 극 곡선 $r = 2\cos\theta$에 둘러싸인 영역 D의 경계일 때,

$$\oint_C (y + e^x)dx + (2x + \tan y^2)dy$$의 값은? [2.1]

① $-\dfrac{2}{3}\pi$　　② 0　　③ $\dfrac{1}{2}\pi$　　④ π

07. 곡선 $x = y^2 - 4y + 5$ 와 직선 $x = 2$으로 둘러싸인 평면 영역을 x축을 중심으로 돌려서 만든 회전입체의 부피는? [3.8]

① $\dfrac{15}{4}\pi$　　② $\dfrac{16}{3}\pi$　　③ $\dfrac{20}{3}\pi$　　④ $\dfrac{27}{4}\pi$

06. 삼각형 T가 높이는 $1cm/\min$로 증가하고 넓이는 $2cm^2/\min$로 증가한다. 높이가 $10cm$, 넓이가 $100cm^2$일 때, 삼각형 T의 밑변의 변화율은? [3.8]

① $-1.6cm/\min$　　② $-0.8cm/\min$

③ $0.8cm/\min$　　④ $1.6cm/\min$

08. 공간곡선
$x = \sin\pi t,\ y = 2\sin\pi t,\ z = \cos\pi t$에 대해
$t = 0$일 때의 접선과 $t = \dfrac{1}{2}$일 때의 접선이 점
(a, b, c)에서 만난다. 상수 $a + b + c$의 값은?
[4.1]

① $\dfrac{5}{2}$　　② 3　　③ $\dfrac{7}{2}$　　④ 4

09. 곡면 S가 함수 $f(x,y)=(2x+y+1)e^{x+y}$의 그래프일 때, 다음 중 S위의 점 $(0,0,1)$에서 S에 접하는 접평면에 있는 점은? [4.1]

① $(1,0,2)$ ② $(1,-1,2)$
③ $(-1,-1,2)$ ④ $(2,2,1)$

11. $n=4$에 대하여 사다리꼴 공식으로 계산한 정적분 $\displaystyle\int_0^{\frac{2\pi}{3}} x\cos x\,dx$의 근삿값은? [5.6]

① $\dfrac{\sqrt{3}}{96}\pi^2$ ② $\dfrac{\sqrt{3}}{84}\pi^2$
③ $\dfrac{\sqrt{3}}{72}\pi^2$ ④ $\dfrac{\sqrt{3}}{60}\pi^2$

10. 두 곡면 $z=x^2+y^2$과 $4x^2+y^2+z^2=9$의 교선 위의 점 $(-1,1,2)$에서의 접선을 l이라 하자. 다음 중 l위에 있는 점은? [3.8]

① $(-6,-7,5)$ ② $\left(0,\dfrac{13}{5},\dfrac{18}{5}\right)$
③ $(4,9,8)$ ④ $(9,17,13)$

12. 극방정식 $r=3\cos\theta$로 주어진 곡선의 내부와 극방정식 $r=\sqrt{3}+\cos\theta$로 주어진 곡선의 외부에 놓인 영역의 넓이는?

① π ② $\dfrac{2\pi}{3}$ ③ $\dfrac{\pi}{6}$ ④ $\dfrac{\pi}{3}$

13. $\lim_{x \to \infty} \left(e^{2x} + 5x\right)^{\frac{1}{x}}$ 의 값은? [4.1]

① $\dfrac{1}{e}$　　② 1　　③ e　　④ e^2

14. 곡선 C는 평면 $x + 2y + 2z = 5$과 타원포물면 $z = x^2 + y^2$의 교선이다. 곡선 C 위의 점 중에서 원점으로부터 가장 가까운 점이 (a, b, c)일 때, $a + b + c$의 값은? [4.3]

① $\dfrac{1}{4}$　　② $\dfrac{3}{2}$　　③ $\dfrac{9}{4}$　　④ $\dfrac{11}{4}$

15. 함수 $F(s) = \dfrac{8 + 3s}{(s^2 + 1)(s^2 + 4)}$ 의 라플라스 역변환 $\mathscr{L}^{-1}\{F(s)\}$를 $f(t)$라 할 때, $f\left(\dfrac{\pi}{3}\right)$의 값은? [4.3]

① $1 + \dfrac{4}{3}\sqrt{3}$　　② $1 + \dfrac{2}{3}\sqrt{3}$

③ $\dfrac{2}{3}\sqrt{3}$　　④ $\dfrac{4}{3}\sqrt{3}$

16. 행렬 $A = \begin{pmatrix} 1 & 1 & 4 & 1 & 2 \\ 0 & 1 & 2 & 1 & 1 \\ 0 & 0 & 0 & 1 & 2 \\ 1 & -1 & 0 & 0 & 2 \\ 2 & 1 & 6 & 1 & 2 \end{pmatrix}$의 영공간(null space)의 차원은? [4.3]

① 1　　② 2　　③ 3　　④ 4

17. $\int_0^\infty \frac{1}{2x}(\tan^{-1}(2023x) - \tan^{-1}(x))dx$의 값은? [5.6]

① $\dfrac{\pi}{8}$ ② $\dfrac{\pi \ln(2023)}{4}$

③ $\dfrac{\pi \ln(2023)}{2}$ ④ π

19. $v_1 = \left\langle \dfrac{1}{\sqrt{2}}, 0, -\dfrac{1}{\sqrt{2}} \right\rangle,$

$v_2 = \left\langle \dfrac{1}{\sqrt{6}}, -\dfrac{2}{\sqrt{6}}, \dfrac{1}{\sqrt{6}} \right\rangle,$ $v_3 = \langle a, b, c \rangle$가

벡터공간 R^3의 정규직교기저(orthonormal basis)를 이룬다. 이 기저 $S = \{v_1, v_2, v_3\}$에 대한 벡터 $< \sqrt{6}, 2\sqrt{6}, 3\sqrt{6} >$의 좌표벡터의 모든 성분의 합은? (단, a는 양수) [4.3]

① $\sqrt{2}$ ② $\sqrt{2} + \sqrt{3}$

③ $4\sqrt{2} - 2\sqrt{3}$ ④ $6\sqrt{2} - 2\sqrt{3}$

18. 함수 $f(x) = (\text{arc cot} x)^x$에 대해 $\dfrac{f'(\sqrt{3})}{f(\sqrt{3})}$의 값은? [4.1]

① $\ln\left(\dfrac{\pi}{6}\right) - \dfrac{3\sqrt{3}}{2\pi}$ ② $\ln\left(\dfrac{\pi}{6}\right) - \dfrac{2\sqrt{3}}{3\pi}$

③ $\ln\left(\dfrac{\pi}{3}\right) - \dfrac{3\sqrt{3}}{2\pi}$ ④ $\ln\left(\dfrac{\pi}{3}\right) - \dfrac{2\sqrt{3}}{3\pi}$

20. 극곡선 $r = 1 + \cos\theta$에서 수직접선을 갖는 곡선 위의 점의 개수는? [4.3]

① 1   ② 2   ③ 3   ④ 4

21. $y(x)$가 초깃값 문제 $y' - 2y = 2y^{\frac{1}{2}}$, $y(0) = 1$의 해일 때, $y(\ln 3)$의 값은? [4.1]

① 25　　② 20　　③ 16　　④ 12

23. 원기둥 $x^2 + z^2 = 1$와 두평면 $y = 0$, $y = 3$으로 둘러싸인 경계 곡면을 S라 할 때, $F(x, y, z) = xz^2\,i + x^2 y\,j + x^2 y^2\,k$에 대해 $\iint_S F \cdot dS$의 값은? [5.6]

① $\dfrac{1}{3}\pi$　　② $\dfrac{1}{2}\pi$　　③ $\dfrac{2}{3}\pi$　　④ $\dfrac{3}{2}\pi$

22. 평면 $x - y - z = 2$에 수직이고 직선 $\dfrac{x-1}{2} = \dfrac{y}{2} = x+2$를 포함하는 평면의 방정식이 $x + ay + bz + c = 0$이다. 상수 $a + b + c$의 값은? [4.1]

① 5　　② 6　　③ 7　　④ 8

24. 다음 <보기>의 모든 행렬들의 고윳값(eigenvalue) 중에서, 가장 큰 값을 α, 가장 작은 값을 β라 할 때, $\alpha - \beta$의 값은? [5.6]

ㄱ. $\begin{pmatrix} 5 & 3 \\ 3 & 5 \end{pmatrix}$　　　　ㄴ. $\begin{pmatrix} -2 & 2 & -3 \\ 2 & 1 & -6 \\ -1 & -2 & 0 \end{pmatrix}$

ㄷ. $\begin{pmatrix} 2 & 0 & 0 & 0 \\ 0 & -3 & 0 & 0 \\ 0 & 0 & 1 & 0 \\ 0 & 0 & 0 & 7 \end{pmatrix}$　　　　ㄹ. $\begin{pmatrix} -2 & 2 & -3 & 11 \\ 0 & 3 & -6 & 9 \\ 0 & 0 & 4 & 7 \\ 0 & 0 & 0 & 1 \end{pmatrix}$

① 11　　② 10　　③ 9　　④ 8

25. 멱급수 $\displaystyle\sum_{n=1}^{\infty} \frac{(x-2)^n}{n3^n}$ 의 수렴구간에

속하는 모든 정수 x의 합은? [3.8]

① 9 ② 10 ③ 14 ④ 15

25. 멱급수 $\displaystyle\sum_{n=1}^{\infty} \frac{(x-2)^n}{n3^n}$ 의 수렴구간에

스킬편입수학 연구소

값 7,000원
03410

9 791141 093426
ISBN 979-11-410-9342-6

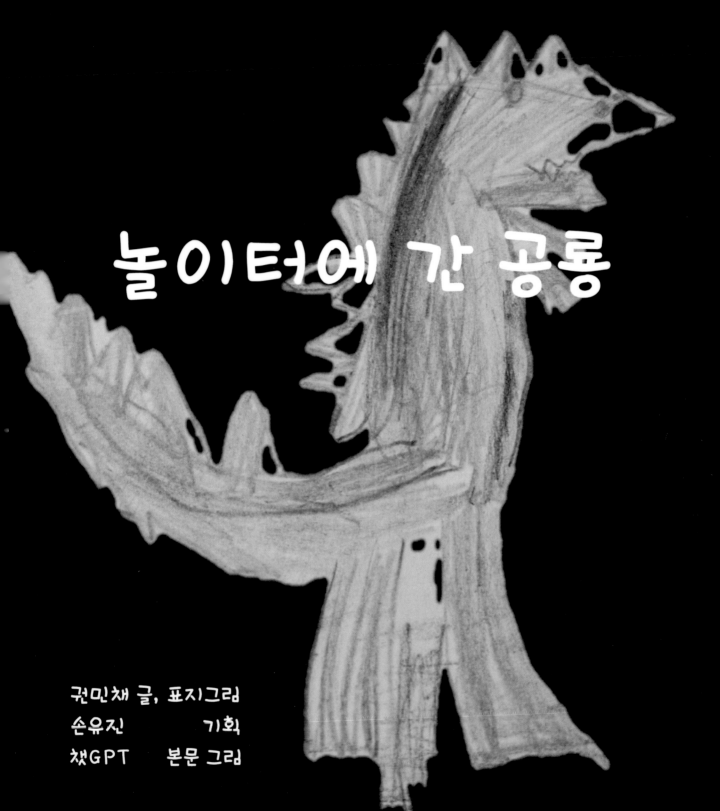

놀이터에 간 공룡

권민채 글, 표지그림
손유진   기획
챗GPT   본문 그림

BOOKK